NOVA VIAGEM À LUA

ARTUR AZEVEDO

1ª EDIÇÃO - 2019
RIO DE JANEIRO, RJ

Copyright © 2019 Editora Vermelho Marinho

Editor-chefe:
Tomaz Adour

Revisão:
Equipe Vermelho Marinho

Projeto Gráfico:
Editora Estronho (Marcelo Amado)

Arabesco da arte da capa e miolo:
Garry Killian

Texto revisado e atualizado conforme definições do novo Acordo Ortográfico da Língua Portuguesa de 2009.

Azevedo, Artur
  Nova Viagem à Lua / Artur Azevedo
  Rio de Janeiro: Vermelho Marinho, 2019.
  92 p. 14 x 21cm
  ISBN: 978-85-8265-227-5
  1. Literatura Brasileira. 2. Teatro. 3. Título.
                                          CDD B869.2

EDITORA VERMELHO MARINHO USINA DE LETRAS LTDA
Rio de Janeiro — Departamento Editorial:
Avenida Gilka Machado, 315 — bloco 2 — casa 6
Recreio dos Bandeirantes — Rio de Janeiro — RJ
CEP: 22795-570

www.editoravermelhomarinho.com.br

OPERETA EM 3 ATOS
ORIGINAL DE
ARTUR AZEVEDO E FREDERICO SEVERO
Música de Le Coq
1877
Representada pela primeira vez no
Teatro Fênix Dramática
Rio de Janeiro

NOVA VIAGEM À LUA

Personagens

Machadinho
Luís
Augusto, guarda livros
Silva
Fonseca
Arruda
Barão de Val-de-Vez
Doutor Cábula (alcunha)
Santos (empregado público)
Joaninha
Rosinha
Sara
Chiquinha
Um Feitor
Um Negro
Dois Criados
Criados, escravos, estudantes, máscaras, cocotes, etc.

A ação do primeiro ato passa-se em Ubá, província de Minas Gerais, e a dos dois últimos na corte. Atualidade.

ATO PRIMEIRO

O teatro representa o pátio de uma fazenda. À direita, a casa com alpendre e tranqueira. Cerca ao fundo. A estrada em perspectiva.

CENA I
MACHADINHO, LUÍS, AUGUSTO E SILVA

Ao levantar o pano, a cena está vazia; ouve-se fora o jongo, entoado pelos negros no eito.

Jongo
Trabaia, negro, trabaia
Na roça de teu sinhô!
O dia já vai bem arto...
Trabaia té o só se pô...

Machadinho, Luís, Augusto, e Silva entram em trajes de montar.

MACHADINHO — Sim, senhor! Aqui é que se vive! Isto é que são passeios! Que bonitas fazendas! Que paisagens! Não volto! Decididamente, não volto!

AUGUSTO — Que entusiasmo!

MACHADINHO — Estou enlevado, encantado, arrebatado (Caindo em uma cadeira de ferro.) e... cansado! Uf! Aquele maldito sendeiro!

SILVA (À Luís.) — Duvido que aquelas moças que convidaste venham...

MACHADINHO (Erguendo-se.) — Não estejas a imaginar desgraças! Por que não hão de vir?

SILVA — Com este sol! Virão?

LUÍS — Se lhes mandássemos a traquitana de papai?

MACHADINHO — Que traquitana! Não estamos nós aqui? Nós, a elite, o high-life grand-monde? Deixa estar que elas hão de vir.

AUGUSTO — O defunto não enjeita a cova.

MACHADINHO— São favas contadas. Passaremos hoje uma noite esplêndida!

LUÍS — Vou prevenir mamãe que temos visitas.

AUGUSTO (Batendo-lhe no ombro.) — Um jantarão, hein, meu velho? A bela feijoada de orelheira e a maravilhosa salada de pepinos...

SILVA — É indigesto.

AUGUSTO — Indigesto és tu. (A Luís.) Tenho uma fome...

MACHADINHO — É dois...

SILVA — E quatro...

LUÍS — Vocês não façam cerimônia; quando quiserem mudar de roupa, entrem; já sabem onde estão os seus quartos.

AUGUSTO (Empurrando-o para casa.) — Olha, filho, ocupa-te mais do nosso estômago, e menos do nosso fato. Vai, vai...

LUÍS — Até logo. (Entra em casa.)

CENA II
MACHADINHO, AUGUSTO E SILVA

MACHADINHO — Sentemo-nos. (Senta-se.)

SILVA — Bem lembrado. (Senta-se.)

AUGUSTO — Vá lá. (Senta-se.)
MACHADINHO (Bifurcado na cadeira.) — Então? O que lhes dizia eu? Que se não haviam de arrepender. E arrependeram-se? Isto é que é vida!

AUGUSTO — Até agora não temos razão de queixa.

SILVA — Temos sido muito obsequiados.

AUGUSTO — E tratados a vela de libra!

SILVA — Assim eu era capaz de passar um ano em férias!

MACHADINHO — E eu um século.

AUGUSTO — E eu abandonava o escritório do patrão por uma eternidade! — Mas, digam-me cá, rapazes! (Aproximam-se as cadeiras.) O Luís não lhes parece que anda meio assim?...

MACHADINHO — Espera. (Ergue-se e vai certificar-se que estão bem sós.) O Luís é uma pérola, não é?

AUGUSTO — Ninguém diz o contrário.

MACHADINHO — Mas acerca disto, (Bate na cabeça.) coitado...

SILVA — Ninguém diz o contrário.

MACHADINHO — O Luís anda apaixonado...

AUGUSTO e SILVA — Hein?...

MACHADINHO — Vocês conhecem a Zizinha?

SILVA — A polca?

MACHADINHO — Que polca! A polca não se chama Zizinha... — Ó Silva, refiro-me àquela nossa vizinha, filha do Santos, empregado no Tesouro!

SILVA — Ahn...

AUGUSTO — O pai conheço eu, mas não tenho relações com a família.

MACHADINHO — Pois a Zizinha está prometida ao Luís com uma condição: o velho Santos só lhe concede a mão da filha se o Luís fizer com que o pai vá à corte.

AUGUSTO — Homessa!

SILVA — Nada mais fácil.

MACHADINHO — Isso é o que te parece. O velho Arruda, pai de Luís, foi condiscípulo do velho Santos, pai de Zizinha, quando estudantes no Seminário; como eram muito teimosos, um belo dia brigaram por via da batina do reitor.

AUGUSTO — Ora esta!

MACHADINHO — Da batina, sim! Um dizia que era de merino e outro que de cetim!

SILVA — Ah! Ah! Ah! De forma que...

AUGUSTO — Ficaram mal... Ah! Ah! Ah!...

MACHADINHO — Exatamente. O velho Arruda (seja dito de passagem aqui entre nós, que ninguém nos ouve)... (Certificando-se de novo que estão bem sós.) O velho Arruda anda de dois pés com licença da Câmara.

SILVA (Com o mesmo jogo de cena.) — É tapado como uma ostra...

AUGUSTO (No mesmo) — Como duas ostras.

MACHADINHO — Retirou-se cá para a fazenda e embirrou em não voltar à corte enquanto o seu antigo condiscípulo se achasse lá. Turrão como ele só!...

SILVA — Mas, afinal de contas, de que era a batina?

MACHADINHO — As partes litigantes não chegaram a um acordo. (Aparece Luís.)
AUGUSTO — E quem te contou essa história? O Luís?

CENA III
MACHADINHO, AUGUSTO, SILVA E LUÍS

LUÍS — Eu mesmo, e é a pura verdade, meus amigos.

SILVA (Sobressaltado.) — Estavas ouvindo?

LUÍS — Estava.

MACHADINHO (Muito atrapalhado.) — Oh! Diabo! Ouviste o que dissemos a respeito de teu pai?

LUÍS (Com simplicidade.) — De papai? Não... o que foi?

MACHADINHO — Então estamos salvos. Desculpa minha indiscrição.

LUÍS — Não só desculpo, mas agradeço. Poupaste-me o trabalho; eu ia fazer-lhes esta confidência...

OS TRÊS — Sim?

LUÍS — E pedir-lhes um serviço...

OS TRÊS — Fala...

LUÍS — Ajudem-me a fazer com que o velho vá à corte.

AUGUSTO — É difícil.

MACHADINHO — Qual difícil! Astúcia no caso!

SILVA — Assim sim.

AUGUSTO — Qual há de ser?

MACHADINHO — O que acharmos.

OS QUATRO — Procuremos... (Toma cada um sua cadeira, e sentam-se todos isoladamente. Pausa.)

AUGUSTO — Acharam?

SILVA — Qual!

MACHADINHO — Ouçam. (Ergue-se, reflete e volta a sentar-se.) Qual! Não presta!

LUÍS — É o diabo... (Ergue-se.)

AUGUSTO — Com botas! (Ergue-se.)

SILVA (Imitando-os.) Não me lembro de nada.

MACHADINHO (No mesmo, desabridamente.) — Procuremos!

OS QUATRO — Procuremos! (Pensam.)

Coro
Ou por bem, ou por mal.
por qualquer mei'original,
o velho vai à corte, olé!
passar o carnaval!
(Este coro é executado com um ligeiro movimento coreográfico.)

CENA IV
MACHADINHO, AUGUSTO, SILVA, LUÍS E ARRUDA

ARRUDA (Sai de casa e parece preocupado com a leitura de um livro.) — Doze pé de artura sobre nove de largo. (A Luís, que lhe estende a mão.) Tu estava aí, Lulu? Deus Nosso Senhor Jesus Cristo te dê uma boa sorte. — Ó Lulu me diz: isto é verdade memo? Estes home fôrum a Lua?

LUÍS — Que homens, papai?

ARRUDA — Aqui tá escrevido em letra de imprensa nesta novela de (Lendo o lombo do livro.) Júlio Verne.

LUÍS — É e não é verdade.

MACHADINHO (Puxando pelo paletó.) — Cala-te, diabo! Deixa-me falar: achei um meio.

ARRUDA — Ó Lulu, pois se aqui está imprimido! Como é entonces que não é verdade, home? Pois os livros da imprensa também mente, home?

MACHADINHO — O Luís tem razão, Senhor Arruda; é e não é verdade.

ARRUDA — Quá seu doutô, não é possíve!

MACHADINHO — Eu me explico: é verdade, porque tudo isso que aí está escrito, aconteceu — e o não é, quanto ao nome dos personagens, que estão trocados.

ARRUDA — Mas entonces por quê?

MACHADINHO (Estalando os dedos.) Isso foi um cometimento grandioso, que abalou todas as notabilidades científicas dos dois mundos.

ARRUDA — Os dois mundo? Quá é outro? (Satisfeito por ter achado.) Ah! É o mundo da Lua!

SILVA (Rindo-se.) — Nada: o mundo velho e o novo mundo.

ARRUDA (Com ares de quem sabe.) — Sim... sim... o véio e o novo... Vamo adiante.

MACHADINHO — Como ia dizendo, essa empresa abalou todas as notabilidades científicas... todas e mais algumas!

ARRUDA — Que brincadeira, hein? Abalou muita gente!

MACHADINHO — Os que tomaram parte nela foram alvo de estrondosas manifestações, e por modéstia ocultaram os seus nomes; se assim não fizessem, o povo da União não os deixaria mais descansar.

ARRUDA — Da União e Indústria? (Risadas.)

MACHADINHO — Quem lhe falou em União e Indústria? A União, isto é, os Estados Unidos da América!

ARRUDA — Ahn... Agora entendi, seu doutô. Pois, meus amigo, tou com vontade de dá um passeio até a Lua.

SILVA (Baixinho, a Machadinho.) — Até a Lua? E esta?...

ARRUDA — Vamo à Lua, vamo, rapaziada? Que glória pra nós e pro Brasil, pro mode disso.

MACHADINHO — Soberbo! Sublime arrojo!

ARRUDA — É um grande projeto, não é, seu doutô?

MACHADINHO — Admirável!

AUGUSTO — Incomparável!

SILVA — Incomensurável!

ARRUDA — Vocês são quase engenheiro...

AUGUSTO — Menos eu...

ARRUDA — Se encarrégum de arranjá o apareio... mas porém eu é que devo dá o risco! Que tu diz a isto, Lulu?

LUÍS (Simplesmente.) — Eu digo... Não digo nada...

ARRUDA — Iremo num foguete!

Artur Azevedo

MACHADINHO — Boa ideia!

ARRUDA — Só lhe falta o rabo.

MACHADINHO — À ideia?

ARRUDA — Ao foguete.

MACHADINHO — Comprometo-me pela construção do aparelho!

ARRUDA — O foguete há de assubir do morro mais arto que houvé no Rio de Janeiro!

MACHADINHO — Certamente.

ARRUDA — Duma feita em qu'o céu tivé bem limpo, e não chuvá nem trovoada tão cedo.

SILVA — Isso é que há de ser difícil!

ARRUDA — Difice? Tenho aqui o tira-teima, home! (Tirando um folheto do bolso.) O Armanaque do Ayer! Isto é aquela certeza. Se ele pega diz que não chové, é porque não chove memo.

AUGUSTO (À parte.) — Em que dará tudo isto?

ARRUDA — Vamo passá o entrudo na Lua: ao menos o terceiro dia há de ser muito adivertido!

LUÍS — Mas, papai, a empresa é muito dispendiosa.

ARRUDA — Sou podre de rico, louvado seja Deus Nosso Senhor Jesus Cristo! Pra cobri de glória a minha terra, não olho sacrafício.

LUÍS — Mas...

MACHADINHO (À parte, a Luís.) — Não te calarás! (Alto, a Arruda.) Está dito, Senhor Arruda, vá fazer o desenho do foguete. E hurra pela Lua!

TODOS — Hurra!

Rondó e coro

MACHADINHO — Isto há de dar ao mundo o que falar!
Estes tipos pelo ar
(é verdade nua e crua!),
num foguete a viajar!
A glória que nós vamos conseguir,
essa glória que há de vir,
— não há nada que a destrua;
nada a pode destruir!
Quando chegarmos à Lua,
hei de, olé! me divertir!
Tomarei uma perua!
Muito havemos nós de rir!

TODOS — Quando chegarmos à Lua,
hei de, olé! me divertir!
Tomarei uma perua!
Muito havemos nós de rir!

MACHADINHO — Destemidos, decididos,
vamos viajar
no ar!
Sujeitos tão atrevidos
se procurarão
em vão.
O nosso nome
grande renome
com certeza alcançará;
um monumento
tão grande invento
juro que valer-nos-á!
Pobre ficamos
que mal nos faz?
Glória alcançamos,
que vale mais!
— Muito ganhamos
coa empresa audaz
que honra nos traz!
Quando chegarmos à Lua,
hei de, olé! me divertir!
Tomarei uma perua!
Muito havemos nós de rir!

TODOS — Quando chegarmos à Lua,
hei de, olé! me divertir!
Tomarei uma perua!
Muito havemos nós de rir!

MACHADINHO — Agraciados,
remunerados,
condecorados
seremos nós!
A viajar
vamos honrar
nossos avós!

TODOS — Agraciados,
remunerados,
condecorados
seremos nós!
A viajar
vamos honrar
nossos avós!

MACHADINHO — Receberemos mil atenções
e comissões,
aclamações,
licitações,
exortações,
adulações
animações,
publicações
e muitas congratulações!!...
TODOS — Quando chegarmos à Lua,
hei de, olé! me divertir!
Tomarei uma perua!
Muito havemos nós de rir!

ARRUDA — Vou tratar do desenho. (Entra em casa.)

CENA V
MACHADINHO, AUGUSTO, SILVA E AUGUSTO

LUÍS — O que estás fazendo?

MACHADINHO — O que estou fazendo? Estou a arranjar meios e modos de levar teu pai à corte.

LUÍS — Como assim?

MACHADINHO — Não temos aqui fundição nem operários; é preciso irmos à corte para arranjar o foguete.

LUÍS — Estás a ler; não conheces papai. Ele é capaz de estabelecer uma fundição na fazenda e mandar vir operários da Inglaterra.

MACHADINHO — Mas a ascensão não pode ser feita senão do Corcovado! Far-se-á tudo como se fora real, à exceção da despesa. Não tocaremos no dinheiro do teu papai. (A Augusto.) Ó Augusto, tu ainda és o presidente dos Netos da Lua?

AUGUSTO — À falta de homens...

MACHADINHO — Eu pertenço à sociedade, mas não sei a quantas anda.

AUGUSTO — Com que então é preciso meter na dança uma sociedade carnavalesca?

MACHADINHO — Ouve e cala-te: Oficia daqui à Sociedade, e diz-lhe que tens um carro de ideia.

SILVA— Um carro de ideia? Ah! É a gíria...

MACHADINHO — Dou-te uma ideia do carro: leva dentro o foguete que há de ser de papelão e prateado ou bronzeado, e de acordo com o desenho do nosso Arruda. O resto fica por minha conta. (A Luís, que pensa.) Compreendes?

LUÍS (Pensando.) — Começo a compreender... (Pausa.) Compreendo! Ó Machadinho, ó Augusto, ó Silva, deem-me as suas mãos. (Aperta-lhes as mãos.) Pobre Zizinha, como vais ser feliz!

Romanza
Dona do afeto meu,
esplêndida Zizinha,
em breve serei teu,
em breve serás minha!
Hei de levar papai
de teu pai à presença...
Oh! que ventura imensa!
Amor c'roar-nos vai!
Ligar à tua a minha sorte
é quanto almejo,
quanto desejo.
Papai, papai, irás à corte!
Tu não calculas, não,
Sinhá, quanto te adoro!
Se cerca-me a solidão
vens-me à lembrança e choro...
Ai! quem me dera estar
já, entre os teus carinhos,
os cândidos filhinhos
nas pernas a embalar.
Ligar à tua a minha sorte
é quanto almejo,
quanto desejo.

(Durante esta romanza os outros rapazes têm feito grupo à parte e conversam entre si.)

AUGUSTO — É bonito, mas é triste...

MACHADINHO (A Luís.) Toma vergonha, comporta-te, meu simplório; não chores! Lembra-te que és quase um senhor bacharel em Matemáticas pela antiga Central! (Declamando com ênfase.) Um das colunas que... (Outro tom.) Não chores, ó Arruda Júnior. (Luís ri-se.) Ora graças a Deus que já te ris.

LUÍS — Confio muito em você, Machadinho, mas, quando me lembro que papai é tão teimoso, receio ver por terra os teus projetos. E o velho Santos é outro! Se não levo papai à corte, pega fogo na canjica.

MACHADINHO (Batendo-lhe de leve no rosto, como se costuma fazer às crianças.) — Coitadinho do Lulu! Deixa estar, deixa estar, meu benzinho, que papai há de ir, e em nossa companhia.

SILVA — Já falaste ao velho sobre esse casamento?

LUÍS — Já, e está por tudo!

MACHADINHO — Então melhor! Viva Deus! Está tudo arranjado!

Polca cantada
Polca

I
Ser minha
Juraste...
Faltaste,
Zizinha.
A jura!
Mentida,
Perjura,
Fingida!

II
Não cresta
Essa face...
Na festa
Valsaste!
Dançando
Qual fada,
Girando
Enlevada!

III
Eu vi-te
Passar.
E o par
Te cingia!
Teu rosto
Formoso
De gozo
Sorria.

IV
Eu triste
Calado,
Ralado,
De dor!
Que bem
Te importavas,
Valsavas
Ó flor!

V
E fraco
Sozinho
Mesquinho,
Chorei!
Dizia
Meu pranto
O quanto
Te amei.

VI
Assim
Como a rosa
Formosa
Definha...
Pra mim
Feneceste,
Morreste,
Zizinha!...

AUGUSTO — Bem, vamos mudar de fato. As moças não devem tardar.

TODOS — Vamos.

LUÍS — Esperem...

Repetição
Ligar à tua a minha sorte,
é quanto almejo,
quanto desejo!
Papai, papai, irás à corte!

TODOS — Papai, papai, irás à corte. (Saem.)

CENA VI
ARRUDA E UM FEITOR

ARRUDA — Pois aqui está, Seu Zé. Leve esta cartinha ao compadre Mané Mascate, tá ouvindo? Olhe que o home hoje tá feito Barão... Veja como trata ele.

O FEITOR — Nhor, sim, patrão. (Vai a sair.)

ARRUDA — Escute cá: — Você só trate o home de seu Barão, hein? Tá ouvindo? Seu Barão pr'aqui, Seu Barão pr'ali, Seu Barão pra cá, Seu Barão pr'acolá; que toma, que vira, Seu Barão, Seu Barão assim; Seu Barão assado; pé, pé, pé, Seu Barão, Seu Barão, pé, pé, pé...

O FEITOR — Nhor, sim, patrão. (Vai a sair.)

ARRUDA — Psiu! Olhe cá. — De caminho para lá passe na venda do Chico Gracia e diga a ele que a besta de sua irmã dele, que andava descadeirada, já teve o seu bom sucesso, e tá pronta pra outra.

O FEITOR — Nhor, sim, patrão. (Vai a sair.)

ARRUDA— Seu Zé, ó Seu Zé! Olhe! Diga a Seu Barão pr'ele vi logo que arrecebê a carta, tá ouvindo?

O FEITOR — Nhor, sim, patrão. (Vai a sair.)

ARRUDA — Olhe, seu Zé. (O homem volta. Pausa.) Tá bom: vá se embora com Deus e a Virgem Maria.

O FEITOR — Amém, patrão. (Sai.)

ARRUDA (Saltando para fora da tranqueira e gritando.) — Dê lembranças a Sá Baronesa. Tá ouvindo?

O FEITOR (De longe.) — Nhor, sim, patrão.

ARRUDA (Desce à cena refletindo e, lembrando-se de alguma coisa mais, corre outra vez ao fundo e grita.) — Ó seu Zé? Psiu! Seu Zé! Quá, o home corre cumo um danado! Tem medo que chame ele outra vez!

CENA VII
ARRUDA (SÓ)

[ARRUDA] (Descendo.) — Pois ou eu não me chamo Arruda, ou não dou um pulo até a Casta Diva! Hei de plantá a bandeira brasileira lá em cima. (Batendo no livro, que ainda conserva na mão.) Diz este home que aquilo por lá é uma coisa incomparave. Que home sabido! É um sábio! É um sabão! O moleque é case superiô ao Ayer! Isto! (Tirando a folhinha.) Isto também é obra! Quando ele diz que chove, é porque chove memo; já não saio de casa nem a cacete! Até o dia d'hoje não tem faiado. É aquela certeza! Entonces na Oropa, dize as foia que inda é mió. — Ora, eu tive um companheiro e amigo lá no Seminário... (eu já fui fromigão, deixei por não ter queda pro latinório)... esse meu dito companheiro era tão teimoso que, se tivesse aqui, era capaz de dizê que este Monsiú não foi à Lua! (Bate no livro.) Fiquemo de mal porque ele dizia que a batina do senhor reitor era de cetim e eu, que de merino. Palavra puxa palavra, e pan! Fiquemo brigado. Eu peguei, deixei o dito Seminário e entonces vim pra fazenda, prometendo nunca mais vortá à corte. Nesse tempo era vivo o defunto meu pai e a defunta minha mãe, e ambos e dois me aprovou. Tenho cumprido a minha dita promessa, porque em teima ninguém me ganha. (Os negros entoam no eito o jongo da primeira cena.) Oh! A minha gente está muito adivertida! É porque mandei adistribuir uma ração de parati e roupa nova de riscado grosso. Como sou feliz, quero que a dita minha gente seje também.

CENA VIII
ARRUDA E O BARÃO

BARÃO (Aparece no fundo e diz para dentro.) — Ó Epifano, toma vem xentido no oitro. Prende-o pola rédea. Bê lá não bá fugire.

ARRUDA— Ah! É o Mané. Veio depressa, seu compadre.

BARÃO (Descendo à cena.) — Ora biba e mal a obrigação. Arrexevi o seu vilhete em caminho e cá estou eu.

ARRUDA — Compadre, você hoje janta com nós...

BARÃO — Conosco, xeu compadre, compadre, conosco é que xe diz. — Janto xim xenhore e com muito prajere...

ARRUDA — Prajere também não se diz, seu compadre. (À Parte.) Forte tolo!

BARÃO (À parte) — Animale! (Alto) Boxé é muito hospitaleiro. Digo-te como digia o noxo Camões...

ARRUDA — Camões?

BARÃO — Er'um xujeito que nã tinh'est'olho. Como bem a propójito, encaixo-le este pidaço: — Traz bom conforto e agajalho!

ARRUDA — Parabéns, seu compadre. Sei que agora está feito Barão. Você agora não negoceia mais coa caixa.

BARÃO — Qual caixa nem qual carapuxa! Xexe tudo o que a muja antiga canta... Isto é do noxo Camões. (À parte.) É uma lástima a falare.

ARRUDA (À parte.) — Fala má cumo que... (Ouvem-se risadas.) Aí vem a rapaziada... E o meu doutô...

BARÃO (Emendando.) — Doutore, doutore, compadre!

CENA IX
ARRUDA, BARÃO, MACHADINHO, LUÍS, AUGUSTO, SILVA
(Os rapazes entram a rir-se, e com outras roupas.)

ARRUDA — Rapazes, o Seu Barão... (Ao Barão.) Barão de quê, seu compadre?

BARÃO — Barão de Bal-de-bez.

ARRUDA — Barão de Bal-de-bez.

MACHADINHO — Deve ser de Val-de-vez. (À parte) Mais um para a coleção...

ARRUDA (Apresentando Luís ao Barão.) — Seu compadre, aqui tá o meu doutô. Ainda não saiu da Academia e já ali co seu colega. (Mostra Machadinho.) Aquele danado, fazer uma mánica...

BARÃO — De apanhare café?

ARRUDA (Dando um assovio e estalando os dedos.) — Quá! Uma mánica que não é pra Terra! Uma coisa admiravel! Que há de espantá tudo. Que pega na gente e bota lá na Lua!

BARÃO — Antão digo como o noxo Camões: — Xexe do xábio grego e do troiano as nabegaxões grandes que fijeram!

MACHADINHO — Muito bem.

AUGUSTO (A Luís.) — Apresenta-nos.

LUÍS — Senhor Barão, apresento-lhe os meus amigos: o Senhor Augusto Soares, guarda-livros da respeitável casa comercial, correspondente de papai... Doutor Silva, Doutor Machadinho.

OS RAPAZES (A um tempo.) Excelentíssimo, temos o prazer de cumprimentar Vossa Excelência; honram-nos sobremaneira as relações que com Vossa Excelência acabamos de travar. (Procuram todos ao mesmo tempo apertar a mão ao Barão, que fica atrapalhadíssimo.)

ARRUDA — Oh! Não fale tudo assim de uma vez! O compadre não pode respondê a tudo a um tempo, cambada!

BARÃO (Conseguindo livrar-se dos rapazes.) — Mous xenhores, não poxo agradexere tanta vondade, xenão a dijere como o noxo Camões: — Cantando espalharei por toda a parte tantas aquisicências.

RAPAZES (Atrapalhando-o de novo.) Bravo! Muito bem!

BARÃO — Os maninos desculpem falare assim. Aprendi a lere e a escrebere, e xei de core dois libros: os Lujiadas do noxo Camões e o Código de nã xei quem, mas há de xere do mesmo Camões, porque bai como o oitro que diz, aquilo que é ovra fina. É por ixo que cando acho acasião, encaixo um pedaxinho do noxo Camões. Xou muito amante da literatura.

AS MOÇAS (Aparecendo ao fundo.) — Dão licença?

TODOS — As moças! Vivam! Entrem, minhas senhoras.

Artur Azevedo

CENA X
ARRUDA, BARÃO, MACHADINHO, LUÍS, AUGUSTO, SILVA, ROSINHA, JOANINHA E MOÇAS
(Os rapazes sobem ao fundo e as moças descem, saltando alegremente.)

CORO DE MOÇAS

Olá! com sua licença
vamos entrando pra cá
pois do sol a calma intensa
ai! Jesus! de fogo está!

ROSINHA (A Luís) — As mais gentis moças de Ubá
vem lhe fazer uma visita.

AS MOÇAS — As mais gentis moças de Ubá
vem lhe fazer uma visita.

I

ROSINHA — Com custo estou que nos dirá
qual é de nós a mais bonita
e qual de nós mais chique está.
Ah!
— Nós hoje, às mil maravilhas,
vamos decerto passar!
Valsas, polcas e quadrilhas
vamos dançar!
Brincar!
Folgar

AS MOÇAS — Nós hoje, às mil maravilhas,
vamos decerto passar!
Valsas, polcas e quadrilhas
vamos dançar!
Brincar!
Folgar!

II

JOANINHA — Senhores meus, hão de convir
que estamos já civilizadas!

AS MOÇAS — Senhores meus, hão de convir
que estamos já civilizadas!

JOANINHA — Pois também sabemos rir!
Não somos, não, desajeitadas!
Sabemos já nos divertir!
Ah!
(Repetição do Coro) — Nós hoje, às mil maravilhas,
vamos decerto passar!
Valsas, polcas e quadrilhas
vamos dançar!
Brincar!
Folgar!

ARRUDA — Vocês veio sozinha?

ROSINHA — O Juca veio conosco; ficou atrás.

LUÍS — Agradeço terem aceitado o meu convite.

JOANINHA — Visitá-los era nosso dever de vizinhas...

ROSINHA — O seu convite foi um excesso de delicadeza.

JOANINHA — Senão uma amável repressão.

BARÃO — Destarte o reio Mouro axim falaba, como dixe o noxo
Camões.

TODOS — Ah! Ah! Ah!

MACHADINHO — Pois Camões disse isto?

JOANINHA — Onde está Dona Miquelina, Senhor Arruda?

ARRUDA— Tá lá dentro determinando a janta. (Chamando
para dentro.) Ó Siá Miquelina? (Alguém responde lá dentro com
um grito.) Ai vão as menina.

ROSINHA — Com licença; vamos cumprimentá-la.

AS MOÇAS — Vamos, vamos!

OS RAPAZES — Minhas senhoras?

AS MOÇAS — Até já...

Repetição

— Nós hoje, às mil maravilhas,
vamos decerto passar!
Valsas, polcas e quadrilhas
vamos dançar!
Brincar!
Folgar! (Saem as moças.)

CENA XI
ARRUDA, BARÃO, MACHADINHO, LUÍS, AUGUSTO E SILVA

ARRUDA (Ao Barão.) — Venha cá, compadre; assente-se aqui e ouça.
(Sentam-se ambos à esquerda e conversam baixinho durante toda a cena.)

MACHADINHO — Precisamos divertir-nos.

SILVA — Temos o Senhor de Val-de-vez.

AUGUSTO — E as moças.

LUÍS — Não falta nada. — Vou mandar preparar a música da fazenda: os negros dançarão o jongo.

MACHADINHO — Não esqueçamos o nosso projeto. Está tudo assentado: levaremos o velho à corte na antevéspera do carnaval.

LUÍS — Mas...

MACHADINHO — Não há mas nem meio mas. O velho há de ir, asseguro. Levá-lo-emos para o Jardim Botânico e aí efetuar-se-á um jantar para festejar a nossa pretendida viagem à Lua, que será no domingo de entrudo.

LUÍS — E depois?

MACHADINHO — Tenho cá o meu plano. Obedeçam-me passivamente, e nos sairemos bem. Manda a carta que te ditei ao Secretário dos Netos da Lua, e inclui a que escrevi ao aderecista da Fênix. Isto deve ser feito hoje.

LUÍS — Vou já mandá-la levar à caixa da estação.

MACHADINHO — Mau! Manda-a levar por um próprio a seu destino. Não nos fiemos no Correio.

LUÍS — Nesse caso, só amanhã poderá ir. Vou entender-me com o feitor a respeito da musicata, do jongo e do próprio que há de levar a carta. (Sai.)

CENA XII
ARRUDA, BARÃO, MACHADINHO, AUGUSTO E SILVA

ARRUDA (Erguendo-se, ao Barão.) — Pois é isto, compadre: vou fazê uma grande viagem. Eu deixo vacê feito meu procuradô bastante, e há de dirigi isto por cá enquanto eu tivé fora. Se arguém me procurá...

BARÃO — Encaixo-le este pedaxinho de noxo Camões: — Porém já xinxo xóis eram paxados... (Erguem-se.)

ARRUDA (Dirigindo-se aos rapazes.) — O que faz vacês aí? Venhum pra dentro; vamo conversá coas moça.

TODOS — Vamos lá, vamos! (Vão entrando em casa; saem as moças.)

CENA XIII
ARRUDA, BARÃO, MACHADINHO, AUGUSTO, SILVA, ROSINHA, JOANINHA e moças, depois LUÍS e negros, depois um Negro

ROSINHA — Como não quiseram honrar-nos com a sua companhia, vimos nós procurá-la.

MACHADINHO (Baixo a Rosinha.) — A senhora é a rainha das belas.

ROSINHA (Faceirando-se.) — Não me debique, moço.

JOANINHA — Esperemos pelo jantar brincando algum jogo de prendas.

AUGUSTO — Era a minha ideia.

ARRUDA — O que há de ser?

BARÃO — O Tempo-xerá...

TODOS — Oh! (Risadas.)

BARÃO — Então a caibra-xega! (Tira um lenço encarnado e tapa os olhos.) Eu xou a caibra! Eu xou a caibra!

MACHADINHO (Tirando-lhe o lenço dos olhos.) — Nada... nada...

BARÃO — Ai!

TODOS — O que foi?

BARÃO (Esfregando os olhos.) — Caiu-me rapé no olho!

MACHADINHO — Não é nada. (O Barão pede a Arruda que lhe sopre o olho. Jogo de cena.) Vou ensinar-lhes um brinquedo da minha terra. Sentem-se todos e façam a roda. (Sentam-se todos, menos Machadinho.) Trata-se de organizar uma orquestra. Eu sou o regente. Toco violino. (A Rosinha.) E a senhora?

ROSINHA — Flauta.

Artur Azevedo

MACHADINHO — O Barão, gaita de foles. O Senhor Arruda, trombone de vara. (Risadas.) A senhora?

JOANINHA — Clarineta.

MACHADINHO (Aos outros.) — Bumba. — Pratos. — Rabecão. — Tímbales. — Fagote. — Violeta, etc. (Distribui o nome de um instrumento a cada uma das pessoas presentes.) Quando eu imitar o meu instrumento, cada um imitará também o seu. Quando, porém, imitar gaita de foles, por exemplo, o Barão imitará o violino. O que não mudar de instrumento com a devida presteza pagará uma prenda. (Pede o rebenque do Barão e começa a imitar um regente de orquestra.) Um dois e três... Três é o sinal para começar... o Hino Nacional. Um, dois e três...! (Executam o hino brasileiro do modo acima descrito. O Barão atrapalha-se todo. Machadinho dá o sinal para parar.) Senhor Barão, pague a prenda!

BARÃO — Ixo é muito caro? Nã bim prebenido. (Risadas. Cena viva e ruidosa.)

MACHADINHO — Não é dinheiro. Dê um objeto de seu uso: logo será restituído.

BARÃO — Tome lá. (Dá a japona que traz debaixo do braço. Risadas.)

MACHADINHO — Isto é muita coisa! Um objeto que caiba dentro de um chapéu.

BARÃO — Ahn... Tome lá um dos mous anelões. Olhe que ixo é oiro do Porto lexítimo de Vraga! (Risadas.)

MACHADINHO — Agora cante cada um o que quiser. Um, dois e... três, (Confusão de vozes.) Dona Rosinha, sua prenda. (Rosinha dá-lhe uma flor e aperta-lhe a mão furtivamente.) Agora, a Chave. Um, dois e... três! (Cantam todos.) Senhor Arruda, a prenda!

ARRUDA — Já sei, já sei, home. Não preciso aprendê.

MACHADINHO — Não me entendeu... estou lhe pedindo a prenda.

ARRUDA — Ahn... (Dá-lhe um objeto qualquer.)

JOANINHA — Para não maçar, paguem todos.

ARRUDA — Memo porque Siá Miquelina não tarda a chamá a gente pra janta.

MACHADINHO — Paguem... paguem... (Todos dão-lhe objetos.)

AUGUSTO — Vamos às sentenças.

MACHADINHO (Tirando um objeto do chapéu e conservando-o fechado na mão.) — Dona Rosinha, dê a sentença. O que quer que se faça com o dono desta prenda?

ROSINHA — Se for cavalheiro... (Pensa.) se for cavalheiro, servirá de banco de lavar roupa, e, se for senhora, suspirará no canto.

MACHADINHO (Abre a mão e deixa ver o anel do Barão.) — É o senhor Barão. (Risadas.)

BARÃO — Nã quero! Um home de minh'idade e varão a xervir de vanco de labare roupa! Nã quero!

MACHADINHO — Vamos! Ponha-se de quatro pés!

ROSINHA — Pois bem, recitará uma poesia.

BARÃO — Ê não sou poeta...

SILVA — Mas sabes o Camões de cor...

AUGUSTO — Encaixe-lhe um pedacinho.

TODOS — Então, então? Ora vamos, Senhor Barão!

BARÃO — Pois bem. Para a xenhora que aí está tã vem axentada, bem a calhare este pedaxinho do noxo Camões: — Estabas, lind'Inês, posta em xoxego...

TODOS — Fora! Não serve!

BARÃO — Nã serve?!

Artur Azevedo

AUGUSTO — Isso é rococó!

BARÃO — Pois antão...

ARRUDA (Ao Barão.) — Antão, não, entonces...

BARÃO — Pois antão bai isto. (Canta e dança, sem acompanha-
mento de orquestra, ao tom da Cana Verde.)
Ai, se tu fores ao mare pescare,
pesca-m'uma laranjinha,
ai, que x'ela fore ajeda,
na tua mão é doxinha.
Ai, ó, ai,
ai, ó, ai!
Quem escorrega,
quem escorrega
tamvém cai!

TODOS — Ah! Ah! Ah!... Bravo! Muito bem! (Música. Luís entra,
precedido da banda de música da fazenda e seguido por um coro
de negros do eito.)

LUÍS — Interrompam a brincadeira! Lugar ao jongo! (Os brancos
sobem para o alpendre.)

Jongo
CORO DE NEGROS— O vento no cafézá
é forte cum'ele só;
a gente fica afogada
no meio de tanto pó. (Dançam batendo palmas.)

MACHADINHO (Descendo do alpendre com os outros personagens.) — Atenção! Ouçam o programa dos pagodes de hoje!

Final
— Logo que jantarmos,
pomo-nos de pé
e, enquanto esperarmos,
que venha o café,
o S'or padre cura

até noite escura
havemos de jogar
e palestrar

AS MOÇAS — Logo que jantarmos,
pomo-nos de pé
e, enquanto esperarmos,
que venha o café,
o S'or padre cura
até noite escura
havemos de jogar
e palestrar

MACHADINHO — Mal se acendam velas
para a sala, vão
esticar as canelas
todos que aqui 'stão.
O piano usado
hoje ficará
bem desafinado,
mais do que já 'stá!
Já não estão na moda
(me dirão vocês)
nem fados de roda,
nem cateretês;
mas... deixem-se disso,
e é pedir por mais!
Caiam no serviço
danças nacionais!

Coro geral

BRANCOS NEGROS
Logo que jantarmos Logo que jantarem
pomo-nos de pé põem-se de pé
e, enquanto esperarmos e, enquanto esperarem
que venha o café, que venha o café,
o S'or padre cura o S'or padre cura
até noite escura até noite escura
havemos jogar lá irão jogar
e palestrar! e palestrar!

ARRUDA (Com ligeiro movimento de dança.)
— Assim é que eu gosto de ver os rapazes!
Aí, sim, Senhor! Trá lá lá! Trá lá lá!

MACHADINHO (Imitando-o)
— Não sabe o senhor de que somos capazes!
Onde nós nos acharmos o prazer está!

BARÃO (Dançando também) — Pesca-me uma laranjinha,
se fores ao mar pescar...

ARRUDA — Ai, que vontade esta minha!
que vontade de dançar!

MACHADINHO e as MOÇAS —En avant!
sem mais demora
En avant!
ferva o cancã!

Coro geral

BRANCOS NEGROS
Logo que jantarmos Logo que jantarem
pomo-nos de pé põem-se de pé
e, enquanto esperarmos e, enquanto esperarem
que venha o café, que venha o café,
o S'or padre cura o S'or padre cura
até noite escura até noite escura
havemos jogar lá irão jogar
e palestrar! e palestrar!

UM NEGRO (Entrando.) — Manda dizer sinhá
que a janta pronta 'stá.

CORO — A janta pronta está!

ARRUDA — Já fortes pontadas sentia na pança!

BARÃO — Que boa notícia pro pai da criança!

40

Coro geral

Já, com presteza
vamos jantar
Já, com presteza,
vamos jantar
Vamos pra mesa
sem mais tardar!

[Cai o pano]

ATO SEGUNDO

O teatro representa o exterior do botequim que se acha em frente ao portão do Jardim Botânico. À direita, o edifício, com a tabuleta Restaurant Campestre. À esquerda, cerca rústica e portão com cancela. Ao fundo, bosque de bambus. Mesas e cadeiras de ferro, etc.

CENA I
PRIMEIRO CRIADO, SEGUNDO CRIADO E CRIADO

(Os criados estão ocupados em arranjar uma mesa que está no meio da cena, repleta de acepipes, cristais, jarras com flores, etc.)

CORO DE CRIADOS — Que belas iguarias!
Não é todos os dias
Que se vê tanto afã
no Restaurant
Vi melhor,
vi pior,
coisa assi'
nunca vi!

PRIMEIRO CRIADO (Mostrando ao segundo um peru de forno que traz num prato.)
— Olá Trancoso,
vem cá: vê tu
como é cheiroso
este peru!

SEGUNDO CRIADO (Mostrando ao primeiro um presunto de fiambre que traz em outro prato.)
— Sim, cheira muito,
mas vê também
este presunto
que cheiro tem!

Repetição do coro
(Findo o coro, os criados, que têm acabado de arranjar a mesa, entram no botequim.)

Artur Azevedo   **43**

CENA II
MACHADINHO E LUÍS

LUÍS (Trazendo Machadinho pelo braço.) — Vem cá, vem cá...

MACHADINHO — Espera... espera... (Quer voltar.)

LUÍS (Trazendo-o à boca de cena.) — Mas, enfim, de que meio te serviste para fazer com que papai viesse à corte?

MACHADINHO (Com volubilidade.) — Do mais simples: fiz-lhe ver que a ascensão só podia efetuar-se do Corcovado. Fiz-lhe grandes preleções sobre distâncias, etc. Ele a princípio hesitou, mas convenceu-se, afinal, de que era necessário ceder. Ainda assim impôs a condição que só viria na véspera da ascensão, e que eu partiria antes dele, imediatamente, para mandar construir o foguete. Esta conversa foi de madrugada; às seis da manhã estava eu de viagem. Ainda estavas dormindo; não quis acordar-te, e eis aí por que ignoravas em que pé estão as coisas. — Uf! que está quente hoje! (Vai a sair; Luís toma-lhe a passagem.)

LUÍS — Apenas chegados ontem à noite, viemos da Estação para cá.

MACHADINHO — Que é dele?

LUÍS — Dorme.

MACHADINHO (A meia voz) — Se visses! É um imenso foguete de papelão bronzeado, em cujo bojo existe um espaçoso compartimento, capaz de conter folgadamente seis pessoas. Tem seis janelas e uma porta, que fica na cabeça. O construtor saiu-se. Mandei fotografar o carro e o foguete. (Vai saindo)

LUÍS (Retendo-o) — Para quê?

MACHADINHO — Para convencer ao velho de que seu risco foi seguido à risca. Arrisquei só três mil réis com a fotografia.

LUÍS — Então fostes ao Lopes?

MACHADINHO — É o meu freguês.

LUÍS — Pagaste?

MACHADINHO — Arrisquei apenas, já disse: posso pagar ou não. — Os Netos da Lua hão de brilhar este ano! Caramba!

LUÍS — Invejo este teu gênio inventivo!

MACHADINHO — É para que saibas. (Vai saindo e para junto à mesa.) Este banquete foi mandado servir por ordem minha. Faz parte também do meu plano.

LUÍS — Estou impaciente por ver em que dá tudo isto.

MACHADINHO — Hás de ver. Hei de deitar um pouco de ópio no copo em que teu pai tiver de beber, o velho adormece... e verás o resto. (Vai a sair.)

LUÍS — Mas, vem cá, filho: não haverá perigo?

MACHADINHO — Não tenhas receio: é uma pequenina dose, que o fará dormir, só até a meia noite. (Vai a sair.)

LUÍS — Onde diabo queres ir com tanta pressa?... Estás só... (Imita-o)

MACHADINHO — Quero esperar essa gente.

LUÍS — Que gente?

MACHADINHO — Ah! Imaginas que este baltazar é só para nós três! Tinha que ver! Olha: além do Augusto e do Silva, hão de vir as repúblicas do Sousa, do Bento e do Guedes... A Sara...

LUÍS — Que Sara?

MACHADINHO — Aquela francesa do Hotel dos Príncipes, com quem o Fonseca anda a esbodegar a legítima materna. Vem também a Elisa, a Chiquinha, a Maroca da Rua do Senhor dos Passos...

LUÍS — Ai, ai, ai! Não vá o velho desconfiar!

MACHADINHO — Não desconfia não. As raparigas hão de portar-se bem. Darei as providências... (Vai a sair.) O Augusto e o Silva, coitados! Andam na faina desde pela manhãzinha: estão preparando a sala da sociedade para o baile de hoje, que também entra no programa. (Vai a sair.) Ah! Vi a Zizinha e dei-lhe esperanças...

LUÍS — Obrigado, meu bom amigo, obrigado.

MACHADINHO — Agora, é abrir vela aos tufões... e o resto à sorte! (Vai a sair, entra Arruda.)

CENA III
MACHADINHO, LUÍS E ARRUDA

ARRUDA — Bons dia, seu doutô; cumo vai a coisa?

LUÍS — A benção, papai?

ARRUDA — Deus Nosso Senhor Jesus Cristo te faça santo.

MACHADINHO — O foguete está pronto e já lá está no Corcovado. Temos de partir às quatro horas da tarde. Foram precisos cento e cinquenta burros possantes para levarem-no até lá!

ARRUDA — Ora não estar lá eu! E onde arranjou tantos doutô, seu burro? Oh! me descurpe, me descurpe, moço. A gente às vez se engana! (Emendando.) E onde arranjou tantos burro, seu doutô?

MACHADINHO — Com a Companhia dos Bondes Marítimos.

ARRUDA — Ahn...

MACHADINHO — O foguete foi conduzido num carro especial que mandei construir. Invenção minha! Veja isto. (Dá a fotografia a Arruda que deita os óculos e examina-a atentamente.) — Veja como está catita! Levamos dezesseis bandeiras nacionais, hein? É isto que aqui se vê! Temos dentro uma sala e uma alcova. A importância do saque que me mandou está quase inteiramente gasta. Uf! Que calor!

LUÍS — Insuportável.

ARRUDA — Não faz má... Sou podre de rico e quero i à Lua!

MACHADINHO (Dando um documento a Luís, à parte.) — Aqui tens o saque: guarde-o. (Alto.) De hoje a dois dias estaremos na Lua, se não sobrevier no sistema planetário algum impertinente fenômeno atmosférico que desvie o foguete do seu curso!

ARRUDA — Fala que nem um livro.

Artur Azevedo

MACHADINHO — Senhor Arruda, mandei preparar este banquete, a que só hão de assistir notabilidades científicas. Vem o sábio naturalista Flowers e sua senhora, o Barão e a Baronesa do Canal do Mangue...

ARRUDA (Atalhando-o.) — Convidou o Júlio Verne?

MACHADINHO (Prontamente.) — Também, também! (Gesto de Luís.) Oh! Mas aquele Verne é um malandro! Virá ou não!

ARRUDA (À parte.) — O diabo é se o Santos sabe que vim à corte. Pega fogo na canjica. (Alto.) Ó Lulu, sobre o que nós falemo, bico, hein? Senão ponho um ovo quente na língua.

LUÍS — Esteja descansado, papai.

ARRUDA — Entonces tá tudo pronto, não?

MACHADINHO — Tudo.

ARRUDA — Ora viva Deus!

Canto

Zás!
Trás!
Vou viajar.
Trás!
Zás!
pelo ar!
Que prazer
eu vou ter!
Zás, trás, zás!

(Durante o canto entram Augusto e Silva)

TODOS — Zás, trás!
Que prazer
Trás, zás!
vamos ter!

CENA IV
MACHADINHO, LUÍS, ARRUDA, AUGUSTO E SILVA

ARRUDA — Sejem bem aparecido! (Apertos de mão.)

MACHADINHO — Então já?

SILVA — Viemos de carro... Encontramos no caminho uma troça...

MACHADINHO (Tossindo.) — Sim... sim... o Barão e a Baronesa... o Verne... (Sinais de inteligência.) Estão se demorando!

AUGUSTO — O bonde estava descarrilhado. (A Arruda.) Vimos despedir-nos.

SILVA — Vamos deixá-los ao bota fora.

LUÍS — Obrigado.

AUGUSTO — Mas como está hoje o dia quente!

MACHADINHO (A Arruda.) — E isso é uma vantagem para a nossa viagem.

ARRUDA — Tá bom, tá bom... Fiquin conversando. Eu vou dá um giro. Quero vê estas parage. (Sai)

CENA V
MACHADINHO, AUGUSTO, SILVA E LUÍS

TODOS (Menos Luís.) — Viva a pândega!

MACHADINHO — Somos uns danados!

AUGUSTO — Sabe que as meninas de Ubá mandaram-nos um "nós, abaixo assinados", pedindo para nos demorarmos mais alguns dias? Como era para a felicidade daquele povo, ficamos.

SILVA — A Dona Rosinha mandou-te muitas lembranças. Falando seriamente, aquela moça está extraordinariamente apaixonada por ti.

MACHADINHO — Deixa-te de pilhérias.

SILVA — É verdade ou não é. Luís?

LUÍS — Pelo menos parece.

MACHADINHO — O que parece é que vocês querem se divertir à minha custa!

TODOS – Oh!

AUGUSTO — Somos incapazes.

MACHADINHO — Está bem, está bem! (Ouve-se rodar um bonde.) Aí chega o bonde. (Consultando o relógio.) Como vem atrasado.

CENA VI
MACHADINHO, AUGUSTO, SILVA, LUÍS, SARA, CHIQUINHA, FONSECA, COCOTES, ESTUDANTES.

(Os recém chegados entram às gargalhadas, apontando para Fonseca que vem todo sujo de lama e com o chapéu amarrotado.)

Arieta

SARA — 'Stou furiosa,
muito nervosa —
pudera não!
De estar zangada,
desesperada
tenho razão.
Três horas — onde? —
dentro de um bonde!
Oh! nunca mais.
(A Fonseca) — Dê cá os sais! (Fonseca dá-lhe um vidrinho de sais que ela aspira.)
De mais a mais, o meu Fonseca
caiu no chão.
Que trambolhão!
Apareceu-me uma enxaqueca!
Ó sapristi!
Que dor aqui! (Leva a mão à cabeça.)
Ah!
'Stou furiosa, etc.

MACHADINHO (A Fonseca.) — O que foi isso, ó meu calouro?

FONSECA — Que viagem, meu amigo, que viagem! O diabo do bonde descarrilhou três vezes, e, se não fosse isso, chegávamos mais cedo. A terceira vez, desci para ajudar os homens que estavam a querer deitar o carro nos trilhos... e, quando ia subir, escorreguei e caí... fiquei neste estado.

TODOS — Ah! Ah! Ah!

SARA — Pauvre Petit! (À parte, beliscando-o.) Taisez-vouz done; voyez qu'on se moque de vouz!

FONSECA — En bien... Ne te fâche pas.

SARA (A Luís.) — Recebi o seu bilhete... et me voilá! O Machadinho disse-me que você instava pela minha vinda.

MACHADINHO — Fazia questão de gabinete. (Trepando a uma cadeira.) Minhas senhoras e meus senhores, atenção!

TODOS — Hum... hum....

MACHADINHO — Pior!

SILVA — O assunto é grave!

AUGUSTO — O negócio é sério!

TODOS — Atenção!

MACHADINHO — Não levem o negócio de flauta. É muito sério o que lhes vou dizer. Vocês todos, rapazes, sem exceção de um só, são notabilidades científicas! Respondam pelos nomes que eu lhes der. E vocês, meninas, são as senhoras destes senhores. Todos vocês são bastante inteligentes para me não deixar ficar mal. Ó Fonseca, tu és o Barão do Aterrado.

FONSECA — Está dito. (A Sara.) En ce cas, tu es la Baronesse.

SARA — Oh! Mon Dieu, quel français que tu me chantes lá!

CHIQUINHA — Eu o que sou?

MACHADINHO (Descendo da cadeira.) — Logo saberás.

CHIQUINHA — Eu quero ser condessa.

MACHADINHO — Está bem, está bem... Tomem sentido nos nomes pelos quais forem apresentados.

FONSECA — Apresentados? A quem?

MACHADINHO — Ao Senhor Arruda!

SARA — Qu'est-ce que c'est ce Senhor Arruda?

MACHADINHO — Verão... verão...(A Fonseca.) Ó Barão, não vá entornar o caldo... Tenho medo de você...

FONSECA — Não há novidade. Pas de nouveauté!

MACHADINHO — Agora o riso e o prazer!

SARA — Et pour commencer... (Chamando) Garçon, du champagne!

LUÍS (A Machadinho.) — Olha que papai pode vir...

MACHADINHO — Vou prevenir que nos previnam. (Um criado traz champanha, Machadinho fala-lhe baixinho.)

SARA — Encham os copos!

TODOS — Viva! (Enchem-se as taças de champanha.)

MACHADINHO (De taça em punho.) — Um brinde!

TODOS (No mesmo.) — Viva!

MACHADINHO — Ao nosso anfitrião! E há de ser recitado!

TODOS — Apoiado.

MACHADINHO (Recita.) — Quando a taça espumante transborda,
a nossa alma remonta-se ao céu!
Quem viveu sem tomar uma mona
foi um odre que nunca se encheu!

TODOS — Não serve! Não serve! A cantora!

Coro Geral
CORO GERAL — Esqueçamos
e bebamos!
Beber!
Felizes sejamos
e toca a beber!

SARA — É nisso que consiste o prazer!

CORO — Beber!

SARA —Amigos, a taça
rechaça
a desgraça!

CORO — Beber!

MACHADINHO — Beber até cair!
Beber até dormir!

CORO — Beber!
Esqueçamos
e bebamos!
Beber!
Felizes sejamos
e toca a beber!

MACHADINHO — Agora, submeto à casa uma proposta!

SARA — Voyons!

MACHADINHO — Um passeio na lagoa antes de jantar. Quem rema? Temos um escaler.

AUGUSTO — Todos nós remamos!

TODOS — Apoiado! Todos nós! Vamos!

Repetição do coro.
(Saem todos pelo fundo.)

CENA VII
ARRUDA, [SARA E CORO]
(Durante as cenas que se seguem os criados deitam o jantar na mesa.)

ARRUDA (Entrando.) — Pois, senhores, o Jardim Botânico é isto? Uma coisa tão falada nas foia? É com aquilo que se gasta tantos cobre? Lá na fazenda há muito capim mió que aquele rasteiro que tem ali! Tíbio! Eu pensei que era outra coisa! Vi umas erva-de-santa-maria, umas flor... (Tomando um periódico que está sobre a mesa.) Vamos a vê que as foi diz de novo. (Lê, deitando os óculo. Ouve-se fora o seguinte:)

Barcarola
SARA —Minha barquinha dourada,
que vento queres levar?
De dia, vento da terra;
de noite, vento do mar.

CORO — Minha barquinha dourada,
que vento queres levar?
De dia, vento da terra;
de noite, vento do mar.

ARRUDA (Lendo com dificuldade.) — Certa sociedade carna... carnavalesca... (Não sei o que é) prepara um chistosa crítica à célebre Viagem à Lua! (Zangado, arremessando o periódico.) Que desaforo! É inveja! É inveja só!

CENA VIII
ARRUDA E LUÍS

LUÍS — O que é que tem, papai?

ARRUDA — Lê. Preparum uma crítica à nossa viaje! Vão criticá o diabo que os carregue, cambada! Eu só queria sabê quem foi!

LUÍS— Não pense nisso, os seus convidados já chegaram.

ARRUDA — Que dê eles?

LUÍS — Vossemecê não estava. Enquanto se deitava o jantar, foram dar um passeio pela lagoa. Vá Vossemecê vestir a casaca. É de etiqueta.

ARRUDA — Com este calô... Enfim... (Vai saindo e volta.) Havemo de mostrá a esses biltre das foia que vamos à Lua! (Sai)

CENA IX
LUÍS [SÓ]

[LUÍS] — Está a chegar o desenlace desta farsa, e, no entanto, tremo! Não quis acompanhar esses rapazes, para poder combater algum obstáculo imprevisto! Oh! Papai, perdoa! Tu eras capaz de fazer o mesmo a vovô por via de mamãe!

Coplas

I

Capaz de tudo sou por ela,
por Zizinha, meu doce bem;
inda não vi, nem viu ninguém
mulher assim, mulher tão bela!
Seus olhos têm da noite a cor,
mas brilham como o sol sereno...
Para conter tamanho amor,
Cuido que meu peito é pequeno!
Ah! meu pai, meu bom papai,
os meus embustes perdoai!

II

Os meus suspiros são tamanhos
quando me ponho a imaginar,
que pra com ela me casar
é só mandar correr os banhos!
Eu de ventura hei de morrer
no dia em que sair da igreja
levando assim... (Menção de dar o braço.)
Minha mulher,
rubra, da cor de uma cereja!
Ah! meu pai, meu bom papai,
os meus embustes perdoai!

CENA X
MACHADINHO, AUGUSTO, SILVA, LUÍS, FONSECA, SARA, CHIQUINHA, ESTUDANTES, CRIADOS e COCOTES

MACHADINHO — Esplêndido passeio!

SARA — Magnifique... Uf! mais il fait chaud!

AUGUSTO — A mesa está posta.

SILVA — Tenho uma fome!

MACHADINHO — Esperemos pelo Senhor Arruda. Ah! Ele aí vem...

CENA XI
Os mesmos e ARRUDA

ARRUDA (Entrando.) — Senhoras donas... senhores...

MACHADINHO — Apresento-lhes o nosso anfitrião!

ARRUDA — Não me mude o nome, seu moço. Manuel Arruda, criado de Suas Senhoria... (Cumprimentam-no; atrapalham-no.)

TODOS — Senhor Arruda! — Viva! — Folgo de conhecê-lo! — Sou seu criado! — etc.

ARRUDA (Satisfeito.) Obrigado, minha gente.

MACHADINHO (Apresentando-lhes Fonseca e Sara.) — Sua Excelência, o Senhor Barão do Aterrado e Sua Excelentíssima Senhora Baronesa. (Grandes mesuras de Fonseca e Sara.) O célebre Flowers, de quem já tive a honra de falar-lhes... A Senhora Condessa...

CHIQUINHA — Marquesa... Marquesa...

MACHADINHO — Ah! É verdade. Foi promovida esta noite... A Senhora Marquesa da Cochinchina.

ARRUDA — Da Cochinchina? Tenho lá na fazenda muito boas galinha da sua terra.

MACHADINHO (Apresentando-lhe um estudante baixo.) — El Señor Dom Ramón Oribe Fuentes Guadaquivir de la Trindad Consuelo, Ministro de la Patagonia!

ARRUDA — O nome é mais comprido que o dono; Vacê memo tem esse nome todo! Safa! Mas por que é que a gente tá assim em pé? Vamos comer... (Sentam-se todos à mesa.) Eu quero falá!

TODOS — Fale! Fale! Pois não!...

ARRUDA (Erguendo-se.) Eu sinto que não posso dizê o que tenho pra dizê porque as coisa... (Mudando de tom, ao suposto Ministro da Patagônia.) Vacê memo tem esse nome tão comprido? Eu não! Eu cá sou o Manuel Arruda só; cando eu nasci, era muito pequenino; por isso meu pai não quis me dá nome comprido.

TODOS — Ah! Ah! Ah! — Volte ao assunto! — Entre na matéria! — Não admito!

ARRUDA — Isto foi para me sarvá, porque eu tinha me atrapaiado todo. (Outro tom.) Minha gente... (A Machadinho.) Ah! é verdade: O Júlio Verne veio?...

MACHADINHO — Ainda não reparei! Está por aí o Júlio Verne? Oh! Júlio Verne! (Gargalhadas.) Qual! Não veio! Aquilo é um malandro! (Dizendo isto tem deitado ópio no vinho de Arruda.)

ARRUDA — Lulu, expilica essas coisa a esta gente.

LUÍS — Minhas senhoras e meus senhores, papai...

MACHADINHO — Não! Falo eu!

ARRUDA — Vacê tá fechando a boca do rapaz!

SARA — Ah! qu'il fait chaud!

ARRUDA — Fechou, sim senhora, e o Lulu não pôde falá. (À parte.) É bem boa...

MACHADINHO — O Senhor Arruda, o Luís e eu agradecemos o terdes honrado...

ARRUDA — Ter desonrado! A quem? (Risadas.)

MACHADINHO — ...o terdes honrado este banquete com as vossas presenças.

ARRUDA — É tal e quá! Muito bem!

MACHADINHO — Na hora em que a pátria vai ser nobilitada pelo arrojado cometimento de um de seus filhos, vós, que não vos alistastes nas fileiras dos incrédulos, vinde dar palmas ao talento. Eu brindo, em nome do Senhor Arruda, o ilustrado auditório!

TODOS — Hip! Hip! Hurra!...

SARA — Ah! qu'il fait chaud!

ARRUDA — Sinto-me um pouco pesado...

MACHADINHO — Oh! Mas é verdade!... Está um calor insuportável! Estou alagado!

AUGUSTO — Uf! Quem pode comer assim?...

MACHADINHO — Interrompamos o banquete; talvez refresque o tempo.

(Levantam-se todos da mesa e descem à cena. Arruda levanta-se com custo; está a cambalear de sono.)

Final

CORO — Fiquemos em colete,
e, co calor que está,
deixemos o banquete!
Logo reviverá!

(Durante o coro, todos, menos Arruda, tiram os casacos.)

MACHADINHO (Recebendo de um criado um maço de ventarolas fechadas.) — Atenção.

CORO — Atenção!

MACHADINHO (Distribuindo as ventarolas pelos personagens.) — Amigos meus, o calor pressentindo...

ARRUDA — Estou quase caindo...

MACHADINHO — ...trouxe estas ventarolas.
Mágicas são
toquem nas molas
que nos cabos estão;
incontinenti abrir-se-ão!

(Todas as ventarolas, que são comicamente exageradas, abrem-se
como por encanto.)

ALGUNS — Oh! Meu Deus! Que calor!
Que horror!
Que tempo abrasador!

LUÍS (À parte.) — Coitado de papai...

ARRUDA — Meus senhores, estou cai não cai!

SARA — Ah! qu'il fait chaud!

ALGUNS — Tudo alagado está!
Eu alagado estou!

ARRUDA — Mas esta não é má!
Não há que vê: tou pronto!
Não bebi quase nada e já me sinto tonto!

CORO — Que grande calor!
Que forno, Senhor!

MACHADINHO — Fa caldo !
Ai, que calor
abrasador!
Escaldo!
Isto é, talvez,
noventa e três!

CORO — Fa caldo !
Ai, que calor
abrasador!
Escaldo!
Isto é, talvez,
noventa e três!

I

MACHADINHO — É pra dar cavaco!
Pois da festa no melhor
o calor, que é velhaco,
nos vence pelo suor!
Mas mal o tempo mude,
vamos pra mesa outra vez!
Olá! Deus nos ajude!
Caramba! é noventa e três!
Oh! que calor abrasador!

CORO — Uf! Uf!
Fa caldo !
Ai, que calor
abrasador!
Escaldo!
Isto é, talvez,
noventa e três!

ARRUDA — Com sono
pra cá não vim;
já dono
não sou de mim!

II

MACHADINHO — Graças às ventarolas,
com alguma viração...
Este calor é um bolas!
Oh! que maldita estação!
Nem mesmo alguns sorvetes
se encontram no restaurant.
Calor, tu nos derretes,
se duras até amanhã!
Oh! que calor
abrasador!

CORO — Uf! Uf!
Fa caldo !
Ai, que calor
abrasador!
Escaldo!
Isto é, talvez,
noventa e três!

ARRUDA — Tragam-me já uma cadeira!
De sono tou mesmo a caí!
(Trazem-lhe uma cadeira, na qual ele cai sentado.)

CORO — De sono está mesmo a cair!

ARRUDA — Que vinho mau! Que brincadeira!
Quero dormi! Quero dormi!

CORO — Pode dormir! Pode dormir!

(Arruda adormece.)

Uf! Uf!
Fa caldo !
Ai, que calor
abrasador!
Escaldo!
Isto é, talvez,
noventa e três!

[Cai o pano]

ATO TERCEIRO

O teatro representa a sala da sociedade carnavalesca Netos da Lua, no domingo gordo. Mobília suntuosa, piano, lustre, jarras, flores, bandeiras, etc. Três janelas de sacada ao fundo, deitando para a Rua do Visconde do Rio Branco. Na primeira porta da esquerda, um escudo azul e branco, tendo no centro, em diagonal, as iniciais N. L., e encimado por duas carrancas enlaçadas com um pano verde.

CENA I
AUGUSTO, SILVA, DOUTOR CÁBULA, FONSECA, SARA, CHIQUINHA, e máscaras, depois MACHADINHO E LUÍS

(Ao levantar o pano, todos os que se acham em cena dançam freneticamente uma valsa, acompanhada pela orquestra. Ardem fogos-de-bengala nas sacadas. O Doutor Cábula é o único que não se acha fantasiado e mascarado.)

TODOS (Depois da valsa, extenuados e tirando as máscaras.) — Vivam os Netos da Lua! Vivam! Vivam!

DOUTOR CÁBULA (Subindo a uma cadeira.) — Meus filhos e filhas! (Bate palma.) Atenção! (Faz-se silêncio.) Nas lutas, nas terapêuticas polares e essenciais dos sentimentos aquosos, nas nevroses contemplativas das explosões hodiernas, retumbam os desmoronados cimentos das convulsões que produzem os infinitos cataclismas sociais. Et ego vacueretes mea tibi ajaceo. Santo Agostinho, capítulo terceiro, título quarto, artigo nono. (À parte.) Que chorrilho! (Alto.) Nas ideias principais à absorção conscienciosa dos raios solares, cifram-se os tríduos confidenciais dos conciliábulos meditabundos dos desenvolvimentos gerais, das magnitudes do nosso partido. — Não! não há partidos! A banca é lisa!

TODOS — Entre na questão!

DOUTOR CÁBULA — Moderai os ânimos esquentados, meus filhos: ira perturbere regulamentum mente in aquare vobis. Santo Inácio de Loiola, capítulo sétimo, parágrafo décimo do Regulamento dos Bondes da Vila Isabel!

TODOS — Muito bem! Ah! Ah! Ah!

DOUTOR CÁBULA (Sempre com extrema volubilidade.) — A decrepitude senil de meu crânio vetusto resolve a algidez dos rijos materiais à contradição palpável dos princípios imutáveis e perenes da indústria manufatureira dos abacaxis.

TODOS — Ah! Ah! Ah! Bravo!

DOUTOR CÁBULA — Ride, ride... risum est apetitum carnivoros comedere. (Isto é meu) A aurora dos tempos sublimes dos areópagos indefiníveis...

AUGUSTO — Não sejas amolador, ó Cábula! Sai daí. (Dá um pontapé na cadeira e o Doutor Cábula cai no chão.)

DOUTOR CÁBULA (Erguendo-se.) — Que cábula!

SILVA (Saindo de uma das sacadas, onde tem estado desde que terminou a valsa.) — Aí vem o Machadinho: conheci-o pelo andar.

TODOS — O Machadinho! — Ainda bem! — Já tardava! — etc.

CORO — Oh! que prazer!
Ele aí vem!
Nós vamos rir,
pois jeito tem
pra divertir!
vamos todos sem demora
o amigo receber
agora.

AUGUSTO — Que novidade nos trará?

DOUTOR CÁBULA — Aposto que rir nos fará!

AUGUSTO — Temos panos para mangas.

DOUTOR CÁBULA — Frandulagens, bruzundangas.

CORO — Eis que ele aí vem,
Luís também!
(Entram Machadinho e Luís fantasiados também.)

Rondó e Coro
MACHADINHO — Meus folgazões,
meus foliões,
finalmente aqui nos tem!
Vamos ver
hoje quem
tem garrafas pra vender!
Ouvi, meus amigos,
da festa os artigos:
Primo: quem deixar
de rir e folgar
levará sopapos;
em papos, em papos
de aranha andará;
suspenso será!
Secundo: é vedado
brincar mascarado;
intrusos então
se introduzirão.
Tércio: mui respeito
se deve ao sujeito
velhote que está
dormindo acolá.
Quem estes artigos
infringir! castigos
severo terá;
punido será.
É bom haver ordem,
pois qualquer desordem
não pode abonar
quem a praticar.
— Meus folgazões,
meus foliões,
finalmente aqui nos tem!
Vamos ver
hoje quem

Artur Azevedo

tem garrafas pra vender!
CORO — Os folgazões,
os foliões,
finalmente aqui os tem!
Vamos ver
hoje quem
tem garrafas pra vender!

MACHADINHO — Toca para a sala de jantar. Está posta a ceia. Aviem-se que preciso de vocês.

TODOS — Viva o Machadinho!

DOUTOR CÁBULA (Ao Machadinho.) — Eu te abençoo do fundo do meu estômago. (Saem todos menos Machadinho e Luís. Música na orquestra durante a saída.)

CENA II
MACHADINHO E LUÍS

MACHADINHO (A Luís, que entrou no gabinete da direita e saiu logo.) — O velho?

LUÍS — Ainda dorme. Está ali.

MACHADINHO — No Necrotério, sei.

LUÍS — Necrotério?

MACHADINHO — Necrotério aqui é o lugar em que se cozem as monas.

LUÍS — Mas papai não é precisamente uma mona!

MACHADINHO — Ninguém disse tal.

LUÍS — Coitadinho de papai.

MACHADINHO (Arremedando-o.) — Coitado de papai! (Naturalmente.) Então, rapaz? Queres chorar?

LUÍS — Não, mas quando me lembro que o metemos nestes assados sem consciência sua...

MACHADINHO — Ora, ora, que novidade! Se ele soubesse de tudo cá não vinha. Bem sabes que era preciso fazer o que se fez. O velho acorda aqui, em pleno baile carnavalesco. O carnaval é coisa nova para ele. Supõe-se, fazemo-lhe supor-se, na Lua. Nada receies: eu me encarrego de desculpar-te.

LUÍS — Perdoará ele o havermo-lo enganado? Abusado de sua boa fé?

MACHADINHO — Deixa-te de asneiras! Olha que és um maricas! Como diabo, a não ser assim, havíamos nós de carregar com teu pai para a corte e colocá-lo em frente do velho Santos, seu futuro sogro? Ah! Escreveste-lhe?

LUÍS — Escrevi. Pedi-lhe que se achasse à meia-noite aqui, e fantasiado. (Entra o Doutor Cábula.)

MACHADINHO — Quem levou essa carta?

LUÍS — O Cábula.

CENA III
MACHADINHO, LUÍS E DOUTOR CÁBULA

DOUTOR CÁBULA — Falavam de mim?

MACHADINHO — Entregaste a carta do Luís?

DOUTOR CÁBULA — Em mão própria. O tal teu futuro sogro é um velho bem cabuloso. Enquanto lia a carta, deu-me uma dúzia de palmadinhas na barriga. Mas dei-lhe os contras.

LUÍS — Obrigado, meu bom amigo, ser-te-ei eternamente grato.

MACHADINHO (À parte.) — Temos facada com certeza.

DOUTOR CÁBULA (À parte.) — Vou dar-lhe o plano. (Alto.) Ó Luís, és homem para trinta mil-réis? Quero fazer uma vaca de sessenta...

MACHADINHO (À parte.) — O que dizia eu?

LUÍS (Dando dinheiro ao Doutor Cábula.) — Aqui tens.

DOUTOR CÁBULA — Obrigado. Em quanto estamos?

LUÍS — Nós temos contas.

DOUTOR CÁBULA — Então dá cá mais vinte, para fazer cinquenta...

LUÍS — Pois não. (Dá-lhe mais dinheiro.)

DOUTOR CÁBULA (À parte.) — Estou arrependido de haver pedido tão pouco. (Alto.) Toma nota! Cinquenta mil réis! Depois não quero dúvidas no pagamento... Vou levar a banca à glória em três relances e meio. (Vai saindo.) Olha, depois não andes a te esconder de mim, para evitar o pagamento, hein? (Sai. Durante a cena que se segue, ouvem-se vozerias, brindes, etc.)

CENA IV
MACHADINHO E LUÍS

MACHADINHO — Eu sabia que aquilo era tiro pronto.

LUÍS — Não importa; é um aliado poderoso que compramos por bem pouco.

MACHADINHO (Consultando o relógio.) — Faltam apenas dez minutos para a meia-noite. Sangue frio, meu amigo. Mune-te de bastante sangue frio, embora o tenhas de ir buscar a algum açougue.

LUÍS — Bem; eu vou...

MACHADINHO (Marchando vivamente.) — Ao açougue?

LUÍS — Não...

MACHADINHO (À parte.) — Capaz era ele disso!

LUÍS — Vou esperar o Santos à porta da rua. Toma sentido que os rapazes não façam alguma com o papai.

MACHADINHO — Vá descansado.

CENA V
[MACHADINHO E DOUTOR CÁBULA]

[MACHADINHO] — É muito tolo, coitado, mas afinal de contas é uma pérola! Que culpa tem ele que nascesse Arruda? Outro qualquer não consentiria que a seu pai fizessem tanto, mas julga naturalíssimo estar tudo por amor da sua Zizinha. Mas eu, que não sou da família, não tenho escrúpulos: trato de divertir-me o mais que posso e, ao mesmo tempo, auxiliar a realização dos sonhos dourados de um amigo. (Dá meia-noite.) São horas. (Chamando.) Ó Cábula! Cábula! Augusto! Silva!

DOUTOR CÁBULA (Dentro) — Não me encabules!

MACHADINHO — Venham cá. (Entra Augusto, Silva e o Doutor Cábula.)

CENA VI
MACHADINHO, AUGUSTO, SILVA E DOUTOR CÁBULA

DOUTOR CÁBULA (Entrando por último.) — Ora sebo! Lá se foram a vaca, os bezerros e tudo quanto Marta fiou. Estou reduzido a uma fichinha de duzentos e cinquenta réis. Um maço de cigarros. Nunca chamem por mim quando eu estiver acompanhando alguma costela, porque é tiro e queda! Ela quebra logo.

Coplas
I
Voto de não jogar já fiz;
mas, ó razão, de mim te apartas!
Convicto estou: não sou feliz...
Vício fatal! Malditas cartas
Fico maluco por um triz,
se alguma coisa apanho;
perco outra vez; peço ao Luís...
Perco o que ganho e o que não ganho!
Mas, agora? Nunca mais!
Desta vez prometo:
noutra não me meto!
Nunca mais!
Sim! Dito está! Não jogarei jamais!

II
Quando o parceiro as cartas deu,
na mesa estava uma remissa;
joguei... e o meu dinheiro, ó Céu!
foi — fogo viste linguiça! —
Mas um consolo tenho eu
(Pobre de mim sem tal consolo!):
Não jogo nunca o que é meu,
mas do Luís, qu'inda é mais tolo...
Mas, agora? Nunca mais!
Desta vez prometo:
noutra não me meto!
Nunca mais!
Sim! Dito está! Não jogarei jamais!

(Consigo.) — Mas se eu tentasse a desforra? (A Machadinho, Augusto e Silva, que conversam entre si.) Qual de vocês aí é homem para cinco bodes?

MACHADINHO — Nenhum.

AUGUSTO — Ora vai-te catar!

DOUTOR CÁBULA (A Silva.) — Não tens aí dois pelintras disponíveis. (Silva vai para dar-lhe dinheiro; Machadinho pega-lhe no braço.)

MACHADINHO — Não estejas a alimentar vícios!

DOUTOR CÁBULA — Não impeças uma boa ação, menino!

MACHADINHO — Venham daí. Ajudem-me a conduzir para aqui o pai do Luís. (Entra no quarto da direita, acompanhado por Augusto e Silva.)

DOUTOR CÁBULA (Refletindo.) — Decididamente não jogo mais! Mas... mas deixem lá que uma desforra tem seu sabor! Onde o diabo hei de arranjar dez tostões? (Os rapazes voltam, trazendo Arruda a dormir sentado em uma poltrona e vestido de bombeiro de Nanterre.)

MACHADINHO — Bem. Agora Silva, tu coloca-se àquela porta e, tu, Augusto, àquela outra. Não deixem entrar ninguém, sem que lhes dê sinal, e sobretudo não apareçam. O velho pode conhecê-los. O sinal é um assobio. Augusto e Silva — Entendido. (Vão colocar-se, um à direita, outro à esquerda e desaparecem no correr da cena. Machadinho tira do bolso um cortiça queimada, vermelhão, etc. e pinta o rosto de Arruda, ajudado pelo Doutor Cábula.)

DOUTOR CÁBULA — Que cara cabulosa!

MACHADINHO — Estes bigodes e estas sobrancelhas dão-lhes uma graça!

DOUTOR CÁBULA — Isto é uma cara de azar.

MACHADINHO — Pronto! (O Doutor Cábula com um pedacinho de papel enrolado faz cócegas no nariz de Arruda.) Mais respeito! É o pai de um amigo!

DOUTOR CÁBULA (Com solenidade cômica.) — Respeitemos o nariz da cara do pai de um amigo!

MACHADINHO — Agora, atenção! Vou despertá-lo...

DOUTOR CÁBULA — Cuidado...

MACHADINHO — Não vás dizer alguma tolice. Estás a par da situação. Tento na boca! (Tira um vidrinho da algibeira e faz com que Arruda lhe aspire o conteúdo.)

ARRUDA (Desperta, esfrega os olhos, espantado em redor de si.) — A mode que senti uma infulenização no sangue! Onde estou?

MACHADINHO — Estamos na Lua!

ARRUDA (Dando um pulo.) — Hein? Entonces sempre é verdade? (Encaminhando-se para uma das janelas.) Que rua é esta?

DOUTOR CÁBULA — É a Rua do Visconde do Rio Branco.

MACHADINHO (Baixo ao Doutor Cábula.) — Então, foi abrires a boca e dizeres asneira!

DOUTOR CÁBULA — Não... é... é...

ARRUDA — Entonces! O Paranho já é conhecido na Lua!

MACHADINHO (Tomando o braço de Arruda.) — Não chegue à janela, Senhor Arruda!

ARRUDA (Reconhecendo-o.) — Ah! é vacê, seu doutô? Mas não chegue à jinela por quê?

MACHADINHO (Mostrando-lhe o traje, misteriosamente.) — Pois não vê?

ARRUDA (Extremamente surpreso por se ver vestido de bombeiro.) — Que vestimenta é esta? Eu não sou sordado! Quem me vestiu assim? Mangarum comigo!

MACHADINHO — Eu lhe explico. Não mangaram tal. O nosso foguete caiu num quartel de bombeiros da Lua, e os trajes que trazíamos foram todos confiscados para o museu da pálida Diva.

ARRUDA — Entendo... entendo... e me botarum esta vestimenta pra sarvá as conveniência sociá... Ah! Ah! Ah! Quê dê Lulu?

MACHADINHO (Com mistério.) — Chut!

DOUTOR CÁBULA (Que tem acompanhado todos os movimentos de Machadinho no mesmo.) — Chut!

ARRUDA (Mistificado.) — Que diabo de especulação é esta?

MACHADINHO — O Lulu agora é o rei da Lua e eu sou o seu primeiro ministro. O senhor é o pai de Dom Luís I. (Doutor Cábula faz grandes cortesias a Arruda.)

ARRUDA (Passado o grande pasmo que lhe causaram as palavras de Machadinho e as cortesias do Doutor Cábula.) — Quê dê Lulu?

MACHADINHO — Sua Majestade está no Observatório conversando com as estrelas; não pode receber nem mesmo seu próprio pai.

ARRUDA — Iremo logo mais. (Coordenando as ideias.) Mas... que diabo! parece que vim dromindo! Não vi memo a viaje.

MACHADINHO — O Senhor Arruda tem uma natureza fraquíssima. Quando embarcou, parece que algumas gotas de vinho que bebeu no Restaurant do Jardim Botânico lhe haviam subido à cabeça, e depois a rarefação do ar nas camadas interplanetárias causou-lhe uma síncope, cujo fenômeno as ciências naturais explicam muito facilmente. Chegamos há três horas, depois de dois dias de viagem, e só agora eu e este senhor, nosso companheiro de viagem, conseguimos despertá-lo.

ARRUDA (Ao Doutor Cábula.) — Ah! vacê veio com nós?

DOUTOR CÁBULA — Acidentalmente.

MACHADINHO — Este é o célebre professor aeronauta elétrico... (Cortesias do Doutor Cábula.)

ARRUDA — Ahn... Conheço muito! A roupa dele não foi pro museu.

MACHADINHO — ...o muito sábio Doutor Humboldt Agassis Levington Lesseps X.P.T.O. London...

ARRUDA — Vacê só me apresenta gente cum nome de légua e meia!

MACHADINHO (Continuando a apresentação, enquanto o Doutor Cábula desfaz-se em exageradas mesuras.) — ...Ilustre americano muito conhecido em todo o Universo por seus inúmeros e importantes descobrimentos!

ARRUDA — Pois seu Assis... Assis foi único nome que entendi...

DOUTOR CÁBULA (Com exagerada amabilidade.) — Agassis... Agassis...

ARRUDA — Aguassis... Estimo conhecê-lo... Lá estamos às orde... (Não sabendo para que lado apontar, para iniciar a situação da sua fazenda.) ...lá ...Espere! Para onde fica a fazenda? Pra que lado fica Ubá?... Ah! Deve ser pra baixo! (Apontando para o chão.) Lá estamos às orde de Sua Senhoria... lá em baixo, em Ubá!

DOUTOR CÁBULA — Muito obrigado. (Com volubilidade.) Andava eu no meu balão, fazendo uma viagem de recreio à roda desse pequeno planeta que se chama Terra, quando senti que o aparelho era atravessado por um foguete descomunal, que à primeira vista tomei por um bólido. O tafetá do bojo solidificado pela guta-percha resistiu: ficou o balão pendurado no seu foguete que não diminuiu de velocidade, e, assim, tranquilamente, deitado no fundo da minha barquinha feiticeira, vim para, com Vossas Senhorias, a Lua. É um episódio interessantíssimo, que há de fazer furor no Instituto Histórico e Geográfico de Nova Iorque, se eu tiver a felicidade de voltar à Terra.

78

ARRUDA — Voltaremo noutro foguete. Fique descansado, Seu Eguassis. Se isto não me agradá, cá não fico. (Ouvem-se brindes, etc.) O que é isto?

MACHADINHO — Isto é um baile que dá a estrela Vênus por ver um regente no trono, que estava acéfalo desde que lhe morreu o pai. O baile é oferecido ao Rei Luís, seu filho, para festejar as suas ascensões: à Lua e ao trono. (Assobia.)

DOUTOR CÁBULA (À parte.) — É de muita força este menino!

ARRUDA — Mas o que me admira é eles falá a língua que nós falamo.

DOUTOR CÁBULA (À parte.) — Mas o velho é de mais força!

MACHADINHO — Isso é gente de uma memória e habilidade espantosas. Demais, moram no Céu: não admira que saibam tudo. (Rumores fora.) Atenção, Senhor Arruda! Aí vem Vênus e seu rancho.

CENA VII
MACHADINHO, DOUTOR CÁBULA, ARRUDA, AUGUSTO, SILVA, FONSECA, SARA, CHIQUINHA e máscaras.

CORO GERAL — Viva o carnaval!
Viva o bacanal!
Viva o saturnal!
Nesta noite festival,
tudo é feliz, jovial!
Contentes vamos dançar,
brincar, saltar e folgar!

ARRUDA — Que gente é esta?
Na Lua, vejo, há grande festa!

MACHADINHO — Pois não disse-lhe já, Senhor Arruda
que o seu Lulu no trono se grudou?
Pois Vênus, que é quem gruda,
esta festa ordenou.

CORO — Pois Vênus, que é quem gruda,
esta festa ordenou. (Dança geral e desordenada.) Viva o Carnaval!

DOUTOR CÁBULA (A Machadinho.) — Vou ter com o Luís.

MACHADINHO — Vá, dize-lhe que já é tempo. Não lhe peças dinheiro emprestado.

DOUTOR CÁBULA — És um monstro. (Sai.)

CENA VIII
MACHADINHO, ARRUDA, AUGUSTO, SILVA, FONSECA, SARA, CHIQUINHA e máscaras.

(Sara tem se apegado a Arruda, que parece impressionado. Ciúmes de Fonseca.)

MACHADINHO (A Sara.) — Não o deixes; olha que isto é mina de caroço.

SARA (A Machadinho.) — On fera ce qu'on pourra.

ARRUDA (Entusiasmado.) — Não saio mais da Lua. Mando vendê fazenda, negro, tudo o que tenho lá em baixo (Aponta para o chão.), e venho de vez pr'aqui. (A Sara.) Sua Senhoria se parece muito cuma madama qu'eu vi no Jardim Botânico no dia em que vim cá pr'arriba. Cara duma, focinho doutra.

SARA (Baixinho. Grupos diversos.) — C'etait moi... mon bibi... c'etit moi même...

ARRUDA — Não fale língua da Lua, dona madama, Sua Senhoria fale língua brasileira, que é a que me ensinaram...

SARA — Esta mulher que vias na Terra... era eu...

ARRUDA — A Baronesa?

SARA — Era eu. Amo-te... Tenho-te seguido por toda a parte!

FONSECA (Inflamado.) — Madame Sara, vous êtes une cynique... notre rélations sont brisées par toujours... vous voulez me place à perdre...

SARA (Repreeensiva.) Meu bem...

FONSECA (Dando-lhe um dedo.) — Mordez ici (Sara morde-lhe o dedo.) Ai!

ARRUDA — Seu Barão, descurpe a muié... ela não tem curpa de me tê amizade...

Artur Azevedo   81

FONSECA — Deixe-me senhor! Ne compt pas avex moi, perfide! Adieu pour jamais!

TODOS (Que tem presenciado a rir-se, rompem numa gargalhada.) Ah! Ah! Ah! (Fonseca sai.)

MACHADINHO — Deixem esse idiota! Que vá falar francês na casa do avô torto. (Música na orquestra. Queimam-se fogos-de-bengala nas sacadas. Dentre as mulheres sai uma andaluza, de meia máscara de seda e executa um bailado. Findo o bailado, Machadinho apresenta Arruda à sociedade.)

CENA IX
MACHADINHO, ARRUDA, AUGUSTO, SILVA, SARA, CHIQUINHA e máscaras, no fim da cena FONSECA.

MACHADINHO — Meus amigos e amigas, apresento-lhes o pai de Sua Majestade.

TODOS — Viva o pai de Sua Majestade! (Forma-se de repente um cortejo, que desfila pela frente de Arruda, que está cheio de si, e visivelmente embeiçado por Sara.)

Marcha e coro
Salve o progenitor
do nosso rei recente
Por nós serás, senhor,
amado eternamente!

MACHADINHO (Apresentando diversos indivíduos a Arruda.) — A Estrela d'Alva! — Vésper! — Saturno! — Mercúrio!

ARRUDA — Conheço uma pomada de sua invenção.

MACHADINHO — Tem muitas outras invenções: o bacará, o trinta e um... o marimbo...

ARRUDA — Isso é jogo...

MACHADINHO — Parece.

ARRUDA — Ah! aqui na Lua também há disso? (De repente, a Sara, que o encara meigamente.) Ó ladrãozinho, tu me mata!

FONSECA (Reaparecendo.) — Quem vem ao chocolate?

TODOS — Vamos! Vamos! Ao chocolate! (Saem todos em confusão. Arruda é arrastado por Sara no meio do tumulto geral.)

CENA X
DOUTOR CÁBULA, LUÍS E SANTOS

SANTOS (Metido num dominó.) — Ora, senhores, eu! Um homem sério! Um pai de família! Um funcionário público! Metido num dominó, e obrigado a embarafustar por uma casa destas! — Mas não importa! Trata-se de quebrar a castanha na boca de seu pai! Faço ideia da cara com que ele vai ficar.

LUÍS — Agradeço-lhe a oportunidade!

SANTOS — E há de quê... e há de quê! Ora, meu Deus! Um homem com vinte e três anos e quatro meses de bons serviços ao Estado!

DOUTOR CÁBULA (À parte.) — Já voaram cinco bancas, e eu sem armação! Se este Santos espirasse...

LUÍS — Vem gente. É ele. Venha para cá. (Vão todos os três para uma das sacadas do fundo, cujas cortinas Luís faz descer.)

CENA XI
DOUTOR CÁBULA, LUÍS, SANTOS escondidos, E ARRUDA que entra de braços dados com Sara

SANTOS (À parte, deitando a cabeça fora da cortina.) — É ele! Reconheço-o como se não o visse há quinze dias, e, no entanto, já lá vão trinta anos. (Dando com Sara.) Ela! Olé! Foi bom eu vir aqui. Deixa estar, que não me apanhas mais vintém!

ARRUDA (Rendido, a Sara.) — Tu é muito bonitinha, ladrãozinho. Quando eu te vi, seu bem, meu coração pegô a batê zuque, zuque, zuque; com uma força iguá à da engenhoca d'água da comadre Inclementina. (Senta-se.) Tu não conhece a Inclementina? Aquela do Juiz de Fora!... Home é tão conhecida! Vacês aqui na Lua diz que sabe de tudo! — Ah! seu ladrão! Eu posso fazê a tua felicidade. Sou podre de rico!

SARA — Sei que é muito rico: tens fazenda em Ubá, em Maçambará...

ARRUDA — É... é... Como ela sabe de tudo home!

SARA — Bebê, fica... fica aqui comigo...

ARRUDA — Ela não saberá que eu sou casado?

SARA — Sei que és casado, mas...

ARRUDA (À parte.) — Ai, ai,...

SARA — Mas se quisesses?

ARRUDA — Casar outra vez?

Dueto
DOUTOR CÁBULA (Saindo da sacada e aproximando-se.) — Então, meu caro Senhor Arruda, está melhor aqui do que na Terra, hein?

ARRUDA — Ah! vacê tava aí? Me farte a luz na hora da morte se eu lhe vi... Home, vacê qué que eu fale?

DOUTOR CÁBULA — Com franqueza.

ARRUDA — Pois home; Seu Assis, diabos a Terra! Aqui os are são mió. (Santos sai também da sacada e se aproxima.) Quem é este frade? Na Lua também há disto?

SANTOS — Ora, senhores! Um homem sério!... Um funcionário quase aposentado e pai de cinco filhos!...

ARRUDA — Pra que é essa coisa que vacê traz na cara?

DOUTOR CÁBULA — É da Ordem... é da Ordem...

SARA (À parte.) — Eu conheço aqueles olhos... Mas, qual! É impossível! Ele não frequenta sociedades carnavalescas.

SANTOS (À parte.) — É ela mesma. Não me apanha mais vintém.

LUÍS (Saindo por sua vez da sacada e descendo a cena.) — Não prolonguemos por mais tempo esta cena. É demais! Vamos, Senhor Santos...

ARRUDA — Senhô Santos! Meu filho, Vossa Majestade disse — Senhô Santos?

LUÍS — Tire a máscara.

SANTOS (Tirando a máscara e avançando para Arruda.) — Então, você não disse que não vinha mais à corte?

ARRUDA (Assombrado.) — O Santos!...

SANTOS — Veio ou não veio à corte?

ARRUDA — Que corte, home! Lua não é corte!

SANTOS — O que diz ele? (Aparece Machadinho.)

DOUTOR CÁBULA — Que cábula!

SARA (Embaraçada desde que Santos tirou a máscara, à parte.) — Me voila pincée.

CENA XII
DOUTOR CÁBULA, LUÍS, SANTOS, ARRUDA,
SARA E MACHADINHO

MACHADINHO (Aproximando-se.) — Senhor Santos, Senhor Arruda, eu explico o caso... o Senhor Arruda supõe que fez uma viagem à Lua, ao passo que a viagem que fez foi apenas de sua fazenda à corte, onde está.

ARRUDA — Na corte! Eu tou na corte! Ué! Eu não esperava isso de Sua Senhoria, seu doutô (Puxando as orelhas de Luís.) Venha cá, seu rei da Lua, então vacê mangou de seu pai...

LUÍS — Papai...

MACHADINHO — Perdão, o autor do quiproquó foi este seu criado. Eu sabia da divergência que há entre o senhor e o Senhor Santos, e da promessa que o senhor havia feito de não pôr os pés na corte. O Senhor Santos só consentia no casamento de Luís com Dona Zizinha com a condição que o senhor viesse ao Rio de Janeiro. Por amizade a seu filho e aproveitando o desejo que o senhor tinha de ir à Lua...

ARRUDA — Que bonita figura fiz eu, sim senhô, não tem que vê!

SANTOS — Já que está, consinta no casamento daqueles dois pombinhos...

ARRUDA (De maus humor.) — Já consenti!

LUÍS — Obrigado, papai. (Beija as mãos do pai.)

ARRUDA — Saía daqui, filho de um burro!

MACHADINHO — Agora, um favor, Senhor Arruda, estenda a mão ao seu ex-condiscípulo, e o passado, passado.

SANTOS e ARRUDA — Ele que estenda {primeiro { premero

DOUTOR CÁBULA — Eu concilio tudo, apesar de não ser da família. (Toma as mãos de ambos e une-as.) Ego conjugo vobis.

SARA — Tableau!

SANTOS e ARRUDA — Eu sempre gostei dele, mas é muito teimoso.

ARRUDA — Mas, enfim, onde estamo nós?

MACHADINHO — Deixe para mais tarde as minudências... logo saberá de tudo... (A Luís.) Hás de ser o único de ir à lua... à lua de mel! (A Arruda.) O saque está em mão do Luís; não tocamos em um real.

ARRUDA — Pois guarda ele, Lulu: é teu dote.

SANTOS (Dirigindo-se a Sara.) — Contigo é que não faço as pazes... Não me apanhas nem mais um vintém.

SARA — Mas...

SANTOS — Psiu... (Consigo.) — Um funcionário público, meu Deus!

ARRUDA — Não leio mais novelas do tal Seu Júlio Verne.

MACHADINHO — Hei de oferecer-lhe um livro de Vítor Hugo: A arte de ser avô.

SARA (A Santos.) — Est-ce que tu va rester fâchê comm'ça?

SANTOS — Veremos... Um pai de família... com cinco filhos e vinte e cinco anos e quatro meses de serviços públicos. (Deixa-se enlaçar por Sara.)

ARRUDA (Com uns longes de zelos, à parte.) — As muié são mesmo assim: farsa como elas só. (Entra Fonseca, de braço dado com Chiquinha, acompanhados de todos os personagens.)

CENA XIII
DOUTOR CÁBULA, LUÍS, SANTOS, ARRUDA, SARA, MACHADINHO, FONSECA, CHIQUINHA, AUGUSTO, SILVA e máscaras.

OS RECÉM-CHEGADOS — Ó Machadinho! Vem apreciar os novos amores do Fonseca!

ARRUDA (Admirado e tapando os ouvidos.) — Que matinada!

SANTOS (Sempre abraçado por Sara.) — Um homem sério!

FONSECA (Com Chiquinha pelo braço, a Sara.) — Tu ne me donnais pas de considération: tu ne faisais cas de moi; je me suis épris de Chiquinhe!

TODOS — Ah! Ah! Ah!

ARRUDA — Mas ói que a batina do reitô era de ceteim!

Final

MACHADINHO — Na forma agora de costume
Vou, por precaução,
pedir do povo a proteção.

SARA (Ao público.) — Vossa proteção!

MACHADINHO — Oh! não vos farteis de aplaudir,
sem resmungar, nem redarguir,
quem voz fez rir
ou fez dormir!

MACHADINHO e SARA — Quem fez rir ou fez dormir
aplaudir sem redarguir!

CORO — Sem resmungar, sem redarguir,
aplaudi quem vos fez rir!

Artur Azevedo

MACHADINHO — Agora, galopemos!
Saltemos e pulemos!
Pulemos e saltemos!
E não há que refletir!

CORO — E não há que refletir!
(Galope geral. Quadro animadíssimo.)
Oh! não vos farteis de aplaudir,
sem resmungar, sem redarguir,
quem vos fez rir,
ou fez dormir!

[Cai o pano]

COLEÇÃO GRANDES OBRAS

NOVA VIAGEM À LUA

Artur Azevedo

VERMELHO MARINHO

Este livro foi impresso em tipologia
Gentium Book Basic, corpo 11/12.